Frank Iodice

Breve dialogo sulla felicità

La capacità di interrogarsi,
secondo il floricoltore, era il principio
di qualunque rivoluzione...

Titolo originale:
Breve diálogo sobre la felicidad
Rivista della Biblioteca Nazionale, Montevideo, maggio 2014

In copertina:
Barrio Bella Italia, Montevideo, Uruguay

ISBN-10: 9974994713
ISBN-13: 978-9974994713

DIFFUSO GRATUITAMENTE NELLE SCUOLE
Questo pamphlet, originariamente scritto in spagnolo, è stato tradotto in inglese e italiano. Una versione gratuita è scaricabile dal sito: **www.frankiodice.it**

Oltre 10.000 copie sono state distribuite nelle scuole di vari paesi europei e sudamericani.

A Ignacio e Matéo López,
giovani pensatori del barrio Bella Italia.

Ringrazio José Pepe Mujica per avermi dato il permesso di utilizzare alcuni estratti dei suoi discorsi pubblici, liberamente tradotti dallo spagnolo, nonché della chiacchierata informale che abbiamo tenuto. Questo testo è nato con lo scopo di diffonderlo nelle scuole europee, tra i nostri giovani pensatori, affinché comprendano l'importanza di essere liberi e un domani diventino cittadini, o politici, migliori di noi.

Per quel che riguarda gli adulti, mi appello all'antica regola che esiste fin da quando esistono i libri, vale a dire, ogni pagina può avere molteplici significati. Qualunque lettore, qualunque critico, può interpretarli come gli pare perché, in fin dei conti, sia in letteratura che nella vita, solo chi vuole capire capirà.

Mi è costato molto contenere le tante storie che mi si presentavano davanti via via che proseguivo con la narrazione fedele di questo dialogo, per metà reale e per metà immaginario, come mi ero ripropos-to prima di partire, e, a causa della malattia di cui soffro, una grave forma di testardaggine che mi obbliga a portare sempre a termine quello che ho incominciato, non ho potuto seguire altre strade.

Ringrazio anche Cosimo Lupo, appassionato inseguitore di sogni, e la filosofa Ada Fiore.

f. i. Maggio 2014

Il floricoltore era ritornato dopo molti anni di assenza, la qual cosa, durante le dittature militari sudamericane, era del tutto normale. Entrò in un bar alle spalle di Plaza Independencia, le case basse profumavano di piante e detersivi, s'intravedevano i cortili interni pieni della luce brillante degli azulejos. Era domenica, aveva percorso venti quadre lungo Avenida 18 de Julio dalla Biblioteca Nazionale fino alla piazza. Il grosso cancello della biblioteca era chiuso, c'era soltanto la statua di Socrate affacciata dall'ultimo scalino, ma lui lo aveva dimenticato.

Il bar era silenzioso quando il vecchio domandò: *che!*, non vi do fastidio se mi siedo qui solo per bere un bicchiere, vedo che avete già apparecchiato per la cena. Se ci dai fastidio te lo dico, rispose il ragazzo dietro al bancone.

Era la maniera di essere cordiali di quelli del sud. *Che,* era la parola che tutti utilizzavano per attirare l'attenzione, una specie di codice per entrare in contatto gli uni con gli altri, e, *'ta,* rispondevano tutti con la stessa gioia povera negli occhi.

Non ci importa come si chiamava il floricoltore né quanti anni aveva, durante questa lettura non ci importerà di tante cose. Grapamiel, e un caffè grande, freddo se non ti disturba. Non ne abbiamo, gli fu risposto, allora il floricoltore chiese: portamelo caldo, aspetterò che si raffreddi.

Quel giorno le sue mani dimostravano una strana consapevolezza di sé, erano mani indipendenti e reazionarie. Si accorse, quando le tirò fuori dalle tasche strappate della giacca, che erano sottili e senza la pelle, avevano compiuto per anni lo stesso gesto e non c'era ragione per cui dovessero smettere adesso. Eppure, le vide immobili, poi muovendole di nuovo ne avvertì il sentimento di responsabilità con cui si avvicinavano al tavolino. Le sue mani non avevano età, erano invecchiate soltanto agli occhi degli altri, di tutti coloro che amano dare una fine a ogni cosa con la vana speranza di posticipare la propria.

Il ragazzo dietro al bancone cantava e fischiava, aveva riccioli piccoli che gli cadevano sul collo e davano l'impressione di essere bagnati, ma forse era soltanto il riflesso delle lampadine gialle. Le cameriere non lo guardavano come si guarda un uomo, il floricoltore era più simile a un bambino e ispirava loro voglie di maternità miste alle risate: una timida gioia al pensiero folle di averlo messo al mondo e allattato, stretto contro quel petto che quando lui era entrato aveva stranamente incominciato a palpitare. Il floricoltore non badava ai sorrisi di nessuno, era concentrato a guardarsi le mani. Le aveva appoggiate su un grosso quaderno che aveva portato con sé.

Era nato in quella città, ma nel corso della sua vita aveva lavorato in tanti posti, Salto, Artigas, persino Buenos Aires, e in nessuno di questi si era fermato per più di qualche anno, aveva servito diversi padroni, non si era mai lasciato sedurre dalle promozioni. Il lavoro era gratificante, ma vivere al costante inseguimento della propria passione per la vita stessa, come aveva fatto lui, lo era stato di più. Si era sempre accontentato del minimo di stipendio, qualcuno lo aveva definito un incosciente, lo avevano avvertito, vedrai, gli avevano detto in molti, vedrai. Il floricoltore, e continueremo a chiamarlo così perché ormai del suo nome non se ne faceva nulla, era stanco di sentirsi dire, vedrai, vedrai. Aveva almeno novant'anni e tutto ciò che aveva visto sembrava uno spettacolo che adesso si portava dentro; forse lo aveva descritto in quel quaderno, forse il suo nome era finito lì dentro.

Teneva lo sguardo basso. Per incrociare i suoi occhi dovremmo abbassarci e aspettare che li sollevi dal tavolino, ma sappiamo che quando qualcuno pensa alla propria vita potrebbero passare delle ore prima che raccolga gli occhi da dove li ha dimenticati, perciò continueremo a parlare di lui senza descrivere questa parte del suo volto, per il momento.

Il ragazzo dietro al bancone si stava dedicando al suo naso con la perizia degli innamorati o di quelle scimmie che, l'un l'altra, si spulciano e mangiano i parassiti scovati nei peli della testa. Il resto del corpo si può pulire da soli, ma per la testa c'è bisogno di qualcun altro. Il floricoltore gli sorrise, bevve un sorso del caffè che sapeva di acqua sporca del gabinetto e restò zitto ancora per qualche minuto. Da quando era entrato, il ragazzo dietro al bancone lo aveva interrogato con lo sguardo per scoprire se, almeno lui, sapesse qualcosa riguardo alla felicità.

Era pomeriggio, il vento girava attorno alle sedie di legno, le teneva occupate tra un cliente e l'altro. Di fronte alla porta dell'entrata il floricoltore sedeva da solo, parlava piano con le sue mani impazienti sopra il quaderno, non poteva tradirle ancora per molto. Il ragazzo dietro al bancone se n'era accorto.

Accanto al tavolino occupato dal floricoltore con educazione c'era un pianoforte bianco, inutilizzato da tempo; dietro le sue spalle, i ganci dorati per appendere il cappello, lui non lo portava mai, né cappello né cravatta; e c'era una foto incorniciata di Zitarrosa, con il suo autografo, dedicata alla vecchia proprietaria del bar. Ogni volta che qualcuno guardava quella foto, lei sorrideva. Non suona più nessuno, disse il ragazzo dietro al bancone, non so neanche se funziona ancora, fino all'anno scorso c'erano concerti tutte le settimane, poi lo hanno dimenticato lì, e non lo disse con quella nostalgica saccenteria tipica degli anziani quando parlano del passato, no, lo raccontò con l'incauta allegria della sua età, una storia come tante altre. Il bar è uno scrigno pieno di storie inascoltate; basta sedersi e queste ti arrivano all'orecchio senza che tu faccia alcuno sforzo. Il floricoltore sorrise di nuovo, dovette pensare alla sua giovinezza in una delle città in cui aveva vissuto, o alle baldorie nei locali di una volta.

Aveva capelli e barba rasati, liscio come se fosse appena uscito dal salone di un barbiere, profumava persino di acqua di colonia. Le cameriere avevano il volto indiano delle peruviane e il corpo sinuoso delle *porteñas*; si divertivano a immaginare di che colore erano stati quei capelli, ma per uno che non aveva neanche un nome, deduciamo che anche il corpo e le sue innumerevoli parti dovevano essere dettagli senza alcuna importanza. Respirò più forte per capire se le piante finte avessero un odore, poi chiuse gli occhi e si ricordò delle piante vere viste nei suoi viaggi. Aveva osservato il mondo e gli esseri umani, poi era passato in biblioteca per cercarli nei libri, e quando l'aveva trovata chiusa si era detto: non sei capace neanche a ricordarti che giorno è oggi! Il ragazzo dietro al bancone intanto aspettava e appoggiava bene il peso del corpo nelle mani come tutti quelli che fanno il suo mestiere.

Sono appena tornato da un lungo viaggio, disse il floricoltore senza rivolgersi a nessuno in particolare, sono molto stanco, ma se sei stanco per quello che hai fatto vuol dire che l'hai almeno fatto con molta passione. O che ti ci hanno costretto fino allo sfinimento!, disse il ragazzo dietro al bancone pensando a quello che stava facendo lui in quel momento. Una signora cercava il bagno, passavano tutti vicino al pianoforte scordato ma il bagno non era là, quello era soltanto un angolo tranquillo del locale, non c'era niente di interessante. Esistono tanti tipi di stanchezza, disse il floricoltore, nel mio caso si tratta di una strana forma di sacrificio del corpo per la soddisfazione della mente, quando ero giovane non conoscevo i diversi piaceri della mente, ignoravo molte cose. Con una mano si mantenne la testa, che tendeva a scivolare via. A una certa età si scoprono parti sconosciute del proprio corpo, disse. Non voleva parlare di sé, ma non era neanche sicuro che lo stessero ascoltando, perciò continuò: quando invecchi diventi di nuovo bambino, è come rinascere ma solo in parte.

I clienti sedevano dall'altro lato della sala, vicino alle finestre alte che davano sui palazzi in costruzione di fronte al Mercado Central; in alcuni tavolini per due ci stavano in otto per chiacchierare meglio e guardarsi negli occhi da vicino. A quei tempi non c'era quasi nessuno che pranzava da solo, la solitudine è un lusso che ci si può permettere soltanto nei paesi ricchi. Loro, almeno lo supponiamo, non la conoscevano ancora.

Il piatto del giorno era *pechuga rellena con papas al roquefort*, si sentiva l'odore di formaggio fuso e il sapore del caffè divenne persino peggiore di prima. Allora ne ordinò un altro, non ci fu bisogno di urlare perché forse in un locale vuoto le sue parole sarebbero andate perse ma in un posto come quello, no. Il ragazzo dietro al bancone, che da questo momento chiameremo semplicemente il ragazzo al bancone per facilitare la lettura di queste pagine, si gettò il canovaccio su una spalla e si avvicinò a lui con la tazza più fredda questa volta. Il tavolino del floricoltore era su una pedana fatta di assi di legno, le stesse assi che c'erano sul pavimento di molte case. Una volta si era esibito lì il grande Alfredo Zitarrosa, capelli sempre impomatati e cravatta impeccabile, *Chamarrita de los milicos*, cantava, era la sua canzone proibita dai militari, dai *milicos*, e per questo gridata più forte, *un milico es un soldado / chamarrita de los milicos / no se olviden que no son ricos...* Ora quella era solo una pedana malmessa che puzzava di tutti i liquori alle erbe e butiá rovesciati a terra per mezzo secolo.

Il floricoltore ripeté: sono stanco perché quest'ultimo è stato un viaggio davvero difficile. Dove sei stato?, domandò il ragazzo al bancone, il quale, non essendo più dietro al bancone, sarà chiamato d'ora in poi il ragazzo. Prima di avvicinarsi, il ragazzo passò per la terrazza e tirò su le tende con la velocità dell'abitudine, le sue braccia strinsero la manovella come un serpente prima che mordesse. Il cigolio del ferro si confondeva con quello delle vecchie automobili che passavano veloci senza fermarsi all'incrocio e proseguivano fino alla Rambla, sembrava che corressero verso il mare per entrare nelle nuvole rosa del lontano orizzonte. Poi si voltò per controllare il bar: le due cameriere avevano voci di bambole dolci, ridevano perché non avevano molto lavoro in quel momento e potevano raccontarsi un sacco di storie divertenti mentre il ragazzo sedeva nell'angolo in fondo con il floricoltore, il cliente del caffè freddo e del grapamiel, rimasto finora in silenzio con un quaderno chiuso sotto le mani. I clienti fissi le chiamavano per nome, Laurita, Rosario, gridavano allegramente.

Perché hai tagliato i capelli e i baffi in quella maniera?, chiese il ragazzo. L'ho fatto perché ho perso la speranza. La speranza in cosa, nell'amore, nella vita?! No, no, rispose il floricoltore, la speranza che continuassero a crescere, tutto qui. Scopriremo adesso che in quel bar il floricoltore c'era già stato molti anni prima, eppure non si aspettava che lo riconoscessero. Alzò gli occhi e guardò la luce che andava via. Sulla Rambla, la gente passeggiava insieme ai cani senza il guinzaglio, cani liberi sui mattoni rossi, le nuvole nascondevano un timido sole del quale in centinaia di narrazioni come questa abbiamo già sentito parlare e perciò non descriveremo di nuovo.

Da quanti anni eri partito? Quasi tredici, disse il floricoltore. E cosa hai fatto in tutto questo tempo? Ho imparato a parlare con le formiche per trovare compagnia nella solitudine. Le formiche possono parlare?! Certo, a volte gridano, e dicono sempre la verità, non hanno alcuna ragione per mentire. Quindi non esistono formiche bugiarde? No, rispose il floricoltore, l'uomo è un animale da compagnia, come il cane, per lui la solitudine è il male più grande. Più grande della morte?, chiese il ragazzo. Anche di quella, soprattutto se crediamo nella storia delle anime e della vita eterna, disse il floricoltore, ma sorrise mentre lo diceva per cui il ragazzo non seppe se prenderlo sul serio.

Per essere un floricoltore, pensò il ragazzo, sembra che conosca molti segreti, ma cos'è un segreto?, si domandò, e non si accorse di averlo detto ad alta voce. Il floricoltore accarezzò il suo quaderno e rispose: i segreti ci rendono uomini e donne pieni, con un passato, anziché uomini o donne svuotati. Le sedie scricchiolarono, segno che entrambi si stavano mettendo comodi, la luce che passava dalle imposte scure lasciava l'angolo del pianoforte in una delicata immobilità. Non ci fecero caso.

Raccontami del tempo che hai trascorso da solo, di questo viaggio in cui hai imparato a parlare con le formiche. Il tempo è talmente prezioso, disse il floricoltore, che non lo sprecherei a parlare con un vecchio come me. Eppure io vorrei sapere, insisté il ragazzo, si appoggiò ancora sulle braccia magre e senza peli come faceva al bancone da quando aveva incominciato quel lavoro... Era stata sua madre a trovarglielo perché quando era uno studente aveva il brutto vizio di perdere la strada per la scuola. Fare il barista gli piaceva, sapeva che un giorno avrebbe parlato con la gente proprio come adesso quel vecchio stava facendo con lui, con una dose di mistero negli occhi talmente naturale da sembrare necessaria.

Tuttavia, il ragazzo avrebbe presto imparato che non era necessaria per tutti, ma per ogni uomo in misure diverse.

Gli occhi del floricoltore fuggivano quelli delle giovani cameriere, lasciava che queste ridessero di lui. Le loro risate erano piacevoli, dopotutto, rallegravano l'ambiente. Laurita era una ragazzetta magra, portava un apparecchio per i denti, quindi rideva il meno possibile. Quando serviva l'acqua metteva sempre una mano dietro la schiena come le aveva insegnato la proprietaria, che la osservava dalla cassa per controllare il suo lavoro e i suoi sorrisi. Rosario era più grassa e più sicura di sé, aveva pelle e capelli neri, denti sani, e portava camicette scollate che rivelavano due seni abbondanti come quelli di tante ragazze della città. Una città generosa.

Il ragazzo non capiva perché il vecchio floricoltore non volesse parlargli del suo viaggio, di ciò che aveva fatto in tutti quegli anni. Forse aveva a che fare con la storia dei segreti e degli uomini e donne pieni. Il passato era la parte più importante della loro vita, pertanto tacque e aspettò che fosse il floricoltore a decidere di cosa parlare. Dopotutto, qualsiasi argomento per lui andava bene purché lo tenesse occupato durante la cena. Per quelli della sua età, una cena in silenzio era spaventosa come un pozzo vuoto e profondo. A quest'ora i clienti non hanno bisogno di me, disse. Sembrava triste, benché tutti coloro che sembrano tristi possono trarre in inganno chi li osserva, come noi in questo momento, incauti lettori, perché proprio a causa dell'allegria finiscono col dimenticare di sorridere. Il floricoltore non lo ascoltò, stava riflettendo sulle mani e sulla loro volontà, gli piaceva molto pensare alle mani, almeno questo ormai ci è chiaro.

Togliti la giacca, disse il ragazzo, o avrai freddo quando uscirai, e lo disse con la delicatezza immotivata degli estranei, quella preoccupazione che sembra sempre cortese e finta. Non ho freddo da molti anni, non preoccuparti, disse il floricoltore. Aveva bevuto grapamiel in quel bar molto tempo prima che il ragazzo ci lavorasse, con sua moglie ad esempio, la compagna che gli era rimasta accanto perseguendo le sue stesse idee. Un'idea può diventare un ideale quando a crederci non sei più soltanto tu ma anche una donna come mia moglie, pensava, tanto folle da restarmi vicina per tutto questo tempo! Stai pensando ad alta voce anche tu, disse il ragazzo, e stai di nuovo parlando del tempo. Hai ragione, il tempo della nostra vita è l'unica cosa che non possiamo comprare, ripeté il floricoltore. Il ragazzo avrebbe desiderato dirlo a qualche cliente mentre asciugava i bicchieri dietro al bancone, o mentre strofinava il pavimento ruvido, una delle tante attività quotidiane che diventano parte di noi mentre le compiamo, avrebbe voluto ripeterlo, quindi, come se l'avesse pensato lui stesso e non un vecchio reumatico e senza capelli. Questa volta fu lui a pensare ad alta voce e a dire: forse imparerò anche io a parlare del tempo come questo vecchio, e da cosa lo imparerò? Imparerai dai fallimenti e dal dolore. Ma io voglio fortuna, soldi, voglio aprire un bar sulla piazza, sotto le arcate del Salvo! Quando parlò del suo bar, il ragazzo guardò nel vuoto, in quello spazio in cui si cercano i sogni. Il floricoltore si sistemò il bavero della giacca, l'unica che possedeva e che indossava tutti i giorni, sia d'estate che d'inverno. Era vero che quel giorno faceva freddo, eppure non aveva ancora intenzione di tornare a casa per rivedere sua moglie e riscaldarsi insieme a lei sotto le coperte economiche che avevano. Prima voleva ricordarsi bene del suo nome, del suo passato e di altri dettagli senza i quali non era più l'uomo che lei aveva sposato e seguito, ma soltanto uno stupido vecchio che chiacchierava del tempo.

Quando era giovane, non sapeva che la vita gli avrebbe negato certe gioie che tutti prima o poi si aspettano, una di queste era la paternità. Il floricoltore non aveva avuto figli ma di questo non volle parlare, né il ragazzo osò domandare di più, quello che era nella loro testa rimase nella testa.

Hai letto molti libri mentre eri via?, chiese invece. Aveva osservato a lungo l'oggetto sul tavolino e si era convinto che un uomo innamorato in quel modo di un vecchio quaderno doveva amare o aver amato anche la lettura. Il floricoltore sollevò la testa, come se alle finestre ci fossero le sbarre e cercasse uno spiraglio di luce per non soffocare. Ho letto quello che mi era permesso. Deve essere stato difficile, disse il ragazzo. Un po', soprattutto non raccontare a nessuno quello che hai letto dopo aver svoltato l'ultima pagina, a cosa serve quel sorriso che hai dopo aver finito un libro se non puoi offrirlo alle persone che ami! Perché, a nessuno? Il floricoltore tacque.

Comunque, riprese il ragazzo, io non credo nel dolore, la mia gente ci convive talmente bene da non riconoscerlo ormai, e poi non puoi dire che noialtri non impareremo quello che hai imparato tu soltanto perché non abbiamo vissuto la dittatura! Non serve affatto una dittatura per conoscere il dolore!, disse il floricoltore, ne abbiamo tutti una buona dose che ci portiamo dentro. Il pianoforte continuava a riempirsi di polvere dall'ultima volta che qualcuno lo aveva toccato, come una donna bellissima lasciata a invecchiare in una stanza vuota. Il floricoltore lo guardò con la pena della sua età, quella che tutti sentono dentro quando diventano di nuovo bambini e iniziano il viaggio all'incontrario per ritornare nel ventre da dove sono venuti. Vuoi sapere perché il tempo è così importante per capire il dolore?, chiese. Certo, rispose il ragazzo. Il tempo della tua vita ti serve per fare ciò che ti piace, e se fai quello che piace a te sarai felice, è molto semplice ma nessuno lo fa.

Sembrava un'antica idea che rinasceva. Il ragazzo si sentì di nuovo vivo e per un momento si dimenticò del lavoro dietro al bancone e delle bollette da pagare. È possibile che tutto ciò che voglio sia lavorare, lavorare per accumulare soldi?, si domandò, questa volta stando attento a non aprire la bocca. C'era qualcosa che l'istinto lo spingeva a nascondere. Che succederebbe se tutti la pensassimo come questo vecchio?, chi lavorerebbe al posto nostro? Le sue parole, quelle del floricoltore, erano belle, se fai ciò che ti piace sarai felice, e allo stesso tempo sembravano pericolose. Ma pericolose per chi?, si chiese.

Vedere che il ragazzo si poneva delle domande – e lo vedremmo anche noi se osservassimo la sua bocca stretta e gli occhi ciechi di chi pensa intensamente - lo riempì di una gioia paterna, che, se avesse avuto ancora le lacrime, lo avrebbe anche emozionato. La capacità di interrogarsi, secondo il floricoltore, era il principio di qualunque rivoluzione e lui ne aveva viste molte, abbastanza per capire che, senza, nessun essere umano è degno di tale nome. Per il floricoltore c'era una abissale differenza tra una vita da guerriero e una qualsiasi, come quelle che gli avevano proposto in ognuna delle città in cui aveva lavorato. Ormai aveva i reumatismi alle idee, era difficile persuaderlo a cambiarne anche una soltanto.

La sua esistenza - ora lo ricordava - si era fondata su quella voglia di essere diverso dagli altri, aveva sempre preso direzioni contrarie ai suoi coetanei, ma non perché si sentisse migliore di loro, niente affatto, piuttosto perché a fare quello che fanno tutti, diceva, ci si annoia da morire! Perciò aveva preso talvolta delle decisioni ascoltando solo una piccola voce dentro di sé, senza avere paura di sbagliare perché per quello c'era sempre un rimedio. Il floricoltore credeva nella buona fede, la nostra unica intransigenza, diceva, quasi tutto il resto è negoziabile. Forse è vero, ogni individuo è unico e in quanto tale ha il diritto di rivendicare la propria unicità. Il ragazzo rifletteva sulla sua unicità, ma cosa aveva lui di tanto diverso dagli altri baristi? I liquori erano gli stessi, le bottiglie sugli scaffali persino negli stessi posti in tutti i bar! I rum e i whiskies in basso, i liquori alle erbe e i vini di marca pregiata, Concha y Toro, Don Pascual, Irurtia, Stagniari Viejo, in alto. Sarà meglio guardare da qualche altra parte, si disse.

Il dialogo: era quello, secondo lui, il mezzo per parlare anche di ciò che non si sa, vale a dire, tirare fuori le parole giuste prima ancora di conoscere il loro significato reale. Porre domande allo specchio o a se stesso non aveva mai funzionato. Credeva nel dialogo, il floricoltore, consapevole che la conclusione sarebbe stata la parte più difficile perché nessuno dei due sapeva di cosa avrebbero parlato. Quando una conversazione si fonda sulla ricerca della conoscenza, a questo punto, ciò che importa è la scoperta. E per amore di questa, pare, le loro parole si stavano gonfiando come il petto di quelle specie di uccelli leggeri, che volano di ramo in ramo senza mai stancarsi.

Non importa, ai fini della presente narrazione, conoscere il nome della città in cui si incontrarono i protagonisti dei quali abbiamo deciso di occuparci. E non ha importanza, per la stessa ragione, dove il floricoltore avesse trascorso tutti quegli anni. Un uomo ha importanza adesso e qui; ciò che ha fatto lo ha reso l'uomo che è, ma, come abbiamo già detto, quello è un segreto che non ci riguarda.

I clienti dall'altra parte della sala, con i piatti vuoti davanti, si lasciarono ingannare dalla giacca che il floricoltore indossava per via del freddo, dovettero pensare che si trattasse di un politicante. Forse preparava un comizio cui avrebbero partecipato in molti, se ascoltando avrebbero scoperto il segreto della felicità. Già soltanto sentire quella parola tra tante altre aveva dato loro la speranza che esistesse ancora e si dovesse soltanto capire come cercarla. Che cos'è allora la felicità?, si domandarono le cameriere distratte senza guardare verso il pianoforte, forse è un pesce che nuota a una certa profondità irraggiungibile, o un uccello raro, nascosto tra quelle piante finte, che nessuno sapeva afferrare. Immaginiamo per un momento che un passerotto fosse entrato in quel bar, volando rasente le tende, lungo le pareti come un toro impaurito nell'arena, e tutti si fossero alzati e avessero cercato di afferrarlo!

Riguardo alla politica, poi, il floricoltore si limitò a dire soltanto una frase che fu abbastanza chiara per i presenti, i quali alzarono gli occhi dal loro petto di pollo o da ciò che ne restava, e che riporteremo qui integralmente: la politica ha a che fare con la *polis*, fare politica vuol dire lottare perché la gente viva meglio - il ragazzo appoggiato sulle mani, le spalle scavate nella pelle secca, ascoltava con un discreto trasporto - ma vivere meglio non vuol dire avere più cose, significa essere più felici!, e solo a volte la felicità dipende dai bisogni materiali.

Il ragazzo domandò: sarebbe bello se quello che dici fosse possibile! Hai paura di non sapere di cosa parli, gli fu risposto, e per ingannare questa paura preferisci fingere?, siamo tutti dei bravi attori quando serve. Io penso piuttosto a un problema di libertà, rispose serio il ragazzo, devi ammettere che né tu né io siamo realmente liberi. Le sue proteste erano naturali. Dopo una vita intera trascorsa a ascoltare sua madre, la quale mai aveva avuto tempo per essere felice, ora qualcuno gli parlava di tempo libero e di felicità! Il ragazzo seguiva i consigli di sua madre da quando aveva lasciato la scuola, era stata lei a trovargli un lavoro ed era lei a fargli il bucato tutti i fine settimana. Chi ti fa il bucato è senz'altro più convincente di chi ti parla di felicità.

In quanto alla libertà, disse il floricoltore, ne avrai bisogno per vivere come un uomo pieno; ma anche per essere liberi bisogna avere tempo. Era di nuovo una questione legata al tempo, a quanto pare. Il floricoltore continuò: se ti preoccupi delle stupidaggini, indicò gli occhiali da sole sulla sua testa e l'orologio d'oro, sprecherai tempo. E perché?, domandò il ragazzo. Perché per comprare questo hai speso soldi, quando compri qualcosa con i soldi non la compri con questi ma con il tempo della tua vita che ti è servito per guadagnarli! Poi disse qualcosa di trascendente, che lo riguardava personalmente, almeno a giudicare da come abbassò il tono per cercare un'intimità normalmente negata a quelli che si confidano nei bar: l'unica cosa che non puoi ricomprare, a questo mondo, è la tua vita... Il ragazzo rimase in silenzio.

Ne vorrei ancora un altro, l'ultimo, mi devo svegliare da questo letargo, disse il floricoltore, anche se sa di fogna, lo riempirò di zucchero. Laurita, senza ridere, glielo portò.

Che cosa passava per la testa di quel ragazzo? Da quanto tempo si era reso conto che la ragione che lo aveva spinto a sedersi a quel tavolino pieno di polvere dietro al vecchio pianoforte era una incompiuta ricerca di un padre che non aveva avuto? E per quel che riguarda il vecchio floricoltore, ci chiediamo invece, si era reso conto di quella ricerca? Era la risposta alle sue domande, alle mani immobili o a quanto quel quaderno custodiva gelosamente?

La città non aveva un buon colore, c'era gente che passava davanti al bar, arrancando sulla strada in salita verso il centro, e non alzava gli occhi dal marciapiede. Dov'erano finiti i bambini che correvano dietro ai carretti, tanti di loro senza vestiti sotto i grembiuli di scuola, o gli innamorati, che, con le loro vaghe illusioni, erano sempre stati utili a colmare i silenzi e colorare le vetrine dei negozi oggi pressoché spoglie? Quei negozi adesso erano solo buchi nei palazzi. Sembrava che, via via che il ragazzo ascoltava le parole del vecchio reumatico, capisse i silenzi e l'assenza di colori che prima gli erano indifferenti.

Non sappiamo se il ragazzo indossasse abitualmente gli occhiali all'interno del bar, come fanno le persone insicure che nel dubbio di essere sorprese dal sole li lasciano sempre sulla testa anche quando sono al coperto, oppure se li avesse portati con sé quando si era avvicinato al floricoltore. Il ragazzo non aveva tanta voglia di raccontare i fatti suoi perché apparteneva alla generazione degli enigmatici, giovani misteriosi che non parlavano con nessuno e quando ci provavano non mantenevano a lungo la concentrazione e si distraevano senza concludere nulla. Non amava chiacchierare attorno a un tavolo e trascorrere il pomeriggio con gli amici. Preferiva rimanere a casa sul divano e addormentarsi davanti al televisore. Il floricoltore non lo avrebbe giudicato, comunque, perché lui invece era di un'altra generazione, non aveva il brutto vizio di giudicare senza prima farsi un'analisi di coscienza. Per cui, tutti i presupposti sembravano favorevoli per ascoltare il resto delle risposte, talune coerenti con le sue domande, altre un po' meno.

Il ragazzo ripensò al suo televisore con una lieve nostalgia nel palmo delle mani e si ricordò anche delle ore che passava ogni giorno riflesso nello schermo. Si domandò: è vero che in quello specchio posso trovare tutte le risposte - è una specie di magia - ma, dove sono le domande? Un altro sguardo sfiorò il quaderno chiuso sul tavolino, come se le domande di cui aveva bisogno fossero lì, i bicchieri sporchi odoravano di strada, le mani del floricoltore erano sempre immobili. Le venature del legno ricorrevano il loro cammino infinito fino al bordo del tavolo, dove, come tutte le cose, morivano silenziosamente, e i riflessi della luce conferivano loro una discreta dignità rinnovata a ogni salto. Gli oggetti, a differenza di noialtri, possono nascere e morire migliaia di volte, ed è per questo che in tante narrazioni come la nostra si finisce col parlare più di loro che degli esseri umani.

Se imparo a pormi delle domande prima di cercare le risposte, forse capirò cosa mi appassiona e farò finalmente quello che piace a me! *Claro!, claro!*, urlò un cliente che non stava rispondendo alla sua domanda, è ovvio, ma a lui diede l'impressione che tutte le domande e le risposte pronunciate dentro un bar rischino sempre di mescolarsi piacevolmente.

Il floricoltore sentì queste parole. Non sappiamo se furono pronunciate ad alta voce e perciò arrivarono alle sue orecchie, comunque, disse qualcosa che non possiamo fare a meno di ripetere: nessuno può insegnarti ciò che è già qui dentro, sollevò per la prima volta una mano dal tavolino, il ragazzo ebbe una reazione istintiva di autodifesa, con un dito il floricoltore gli indicò la testa, tu possiedi la capacità di porti domande feconde, disse, è forgiata nelle tue ossa così profondamente che quasi non ne hai consapevolezza, impara a guardare il mondo con curiosità, la curiosità è contagiosa. Qual è l'alternativa? L'alternativa è lasciare che qualcun altro pensi al posto tuo e che la conoscenza finisca in qualche posto che potrebbe essere accessibile a tutti, ma che non sarà più la tua testa. Infine, osservando il suo bicchiere vuoto con tenero rammarico, aggiunse: c'è un antico proverbio che dice, non dare del pesce ai bambini ma insegna loro a pescare; capisci adesso di cosa stiamo parlando? Credo di sì, rispose il ragazzo annuendo. In realtà stavano conversando già da un po' e non gli era del tutto chiara la ragione. Tuttavia, non si sognava di alzarsi e tornare al lavoro prima di aver scoperto cosa c'era scritto in quel quaderno.

Nello specchio appeso sul bancone si riflettevano la strada e i piedi della gente. La parete di fronte all'entrata era scura, eppure c'era una certa luce. È curioso, pensò il floricoltore, e pensò a tante altre cose a dirla tutta, ma non ne parlò con il ragazzo, il quale da solo incominciava a porsi le giuste domande. Quella conversazione pertanto serviva anche a lui.

Grazie ai caffè di fogna e al grapamiel che gli raddolciva la bocca, il floricoltore si stava ricordando di molti dettagli indispensabili per ritornare a casa da sua moglie dopo tanti anni di silenzio.

Si ricordò di sua moglie. Non erano realmente sposati, né in chiesa né con alcun tipo di contratto, ma, da quello che leggendo queste pagine abbiamo capito, si definivano così, marito e moglie. Era come un gioco che durava da quarant'anni. Si erano incontrati durante le rivolte universitarie contro il governo, molto prima di entrare nel Movimento. Avevano sparato insieme sulle colline e nelle strade del Barrio Sud; un giorno avevano assistito all'omicidio del loro amico, il professor Acostillada, all'angolo tra la calle San

José e Durazno. Qualcuno gli aveva svuotato addosso un intero caricatore mentre la gente volava per terra con un movimento che era diventato a quei tempi schifosamente meccanico, e quando il rumore assordante dei colpi fu terminato, lei aveva sollevato un poco la testa e gli aveva chiesto: va' a vedere cosa è successo. Aspettiamo ancora un attimo, aveva risposto il floricoltore, il quale allora era un giovane rivoluzionario convinto di cambiare il mondo, con folti capelli ricci e neri e la pellaccia dura di chi cresce in strada lanciando pietre alla polizia fin da bambino. Sul retro della Cattedrale si muovevano ancora le foglie, senza ritegno, tra i corpi caduti.

Il professor Acostillada e sua moglie stavano andando alla messa, era domenica mattina ma le campane non avevano suonato. Se in quegli anni all'ora della santa messa non si sentiva il suono delle campane, significava che nascosti lassù c'erano i soldati. Se ne era accorto troppo tardi per salvare il loro amico; né lui né sua moglie avevano potuto evitarlo. E non avevano pianto, non ce n'era mai il tempo.

Sua moglie era più giovane di lui, era solo una adolescente quando un prete la fece entrare nel Movimento. Il prete era un amico del suo professore di architettura, cercava giovani in gamba per un progetto di restauro della sua chiesa e così aveva messo le mani sulla moglie del floricoltore. Lei, di animo ingovernabile e sognatrice, aveva incominciato a interessarsi all'attività politica di quel prete e aveva finito così per aderirvi. Questa è la mia sagrestia, urlava il prete ai giovinetti che si affacciavano con la curiosità e la fame di chi non conosce molte alternative alla rivolta, la messa è domenica, ma se volete parlare di politica accomodatevi! Era un uomo alto, con capelli grigi e un corpo forte e sano, la moglie del floricoltore si era fidata da subito di lui e aveva imparato tutto quello che c'era da imparare sui due partiti più duri da estirpare, i bianchi e i colorati, mentre la sua famiglia e i *milicos* che pattugliavano le strade credevano che in quella sagrestia lei seguisse degli innocenti corsi di teologia. Nei bar girava voce che, per entrare nelle file della guerriglia, la moglie del floricoltore avesse subìto un'operazione di chirurgia plastica al viso e per questo avesse gettato nel caminetto tutte le fotografie che la ritraevano con il suo vero volto. Nessuno sapeva spiegare bene il perché, pare che a quei tempi la gente cambiasse nome e faccia per non farsi riconoscere. Ma di voci, in questa città della quale abbiamo deciso di non rivelare il nome, ne giravano tante e noi non possiamo permetterci la debolezza di crederci, per cui non ne riporteremo altre.

Il loro amore si era nutrito di spari e patate e ora portavano dentro una buona dose dell'una e dell'altra cosa, utili per non smettere mai di combattere e per non morire mai di fame. Vorremmo sapere di più, ma i segreti di una coppia non sono segreti per tutti. È curioso però scoprire che, mentre il floricoltore ricordava sua moglie, il ragazzo ripensava alla madre e ai suoi consigli. La madre del ragazzo era una donna compiacente, parlava quando occorreva e teneva gli occhi socchiusi se sentiva passare gli aerei. Le donne della loro vita, in quel breve incontro, erano lì accanto a loro.

Non aveva molti denti il floricoltore, giocava a contarli con la lingua e perdeva sempre il conto. Quel movimento delle labbra, che non trovavano ciò che cercavano, era buffo, lo rendeva vulnerabile. Il ragazzo gli guardava le braccia prive di inquietudini e tendeva a tenere calme le sue, altrimenti piene di vitalità sprecata, come capitava dietro al bancone, dove cercavano gli appoggi e la pace solitamente negata alle braccia di chi lavora.

Di domenica, generalmente, la gente si godeva il giorno libero ma non sapeva bene come occuparlo. Perciò, molti finivano in quel bar, se erano fortunati incontravano altri liberi nello stesso giorno e scambiavano anche quattro chiacchiere. Un vecchio che stava bevendo una malta in piedi e che, per distinguerlo da quello seduto, chiameremo vecchio in piedi, si voltò verso l'angolo e domandò alla timida Laurita: il politico è ancora qui?, scommetto che vuole altri voti! Ma Laurita non rispose, non sapeva parlare né di politica né di voti di alcun genere. Gli rispose un giovane in canottiera, che portava per mano una bambina alla quale non era mai stata lavata la faccia, a vederla così, senza riflettere su un'ipotesi talmente bizzarra se si pensa che almeno quando piove la faccia di tutte le bambine viene lavata contro il volere di qualunque padre, anche il più ingrato. Questi disse: i politici non hanno mai parlato di felicità in vita loro! Ed era vero, anche il ragazzo lo aveva detto: perché nessuno parla della felicità? Né della solitudine, disse il floricoltore. Chi ha parlato di solitudine?, rispose il vecchio in piedi, come se quella domanda fosse una difesa contro la solitudine stessa anziché una maniera come tante per trascorrere in compagnia la domenica pomeriggio. Ne stavamo parlando noi, disse il floricoltore, ma sono soltanto chiacchiere di un vecchio stanco e di un ragazzo che non ama tanto studiare. Le loro sedie scricchiolarono di nuovo, rumore di barche tenute ferme dalle cime stanche. Il floricoltore continuò: la solitudine è il flagello peggiore delle grandi città, peggiore delle cavallette. Ma le cavallette, quelle, chi le ha mai viste?!, protestarono gli altri. Forse è un filosofo, disse il vecchio in piedi, uno che parla di una cosa e intanto ne pensa un'altra.

Laurita e Rosario erano stanche di servire anche le bibite al bancone, ognuno doveva fare il proprio lavoro, altrimenti quella catena perfetta si sarebbe guastata. Il floricoltore aveva svolto tanti mestieri prima di perdere i capelli e i denti, anche in locali come quello, perciò capiva il motivo della loro irritazione e sapeva interpretare quei sorrisi e quei sospiri quando passavano accanto a loro. Il ragazzo si ricompose un po' per l'imbarazzo ma non si mosse da lì.

Continuarono a guardare fuori: la luce pomeridiana che non abbiamo descritto, i passanti tristi, i bambini che non vedevano più in là delle loro mani piccole. Le sue parole potrebbero essere l'inizio di una rivoluzione pacifica e silenziosa, si disse il ragazzo, quest'uomo è stato un guerriero e conserva lo spirito ribelle dei romantici, le parole dopotutto sono pietre e con le buone pietre si possono costruire buoni palazzi!, cosa significa infine ribellarsi?, si domandò ancora il ragazzo, i grandi cambiamenti sono sempre avvenuti perché qualcuno si è ribellato a qualcosa. La letteratura, quello stesso quaderno, nascono forse da un atto di pura rivolta e questo è vero quanto è vera la storia, si ripeté.

Il floricoltore allungò una gamba, a quell'età non gli faceva bene rimanere per troppo tempo nella stessa posizione, quel movimento da seduto sembrò il primo passo verso la sua casa, quasi dimenticata.

Fumi? Grazie, anche se non dovrei, il medico del carcere me lo ha vietato, disse il floricoltore a bassa voce. Dunque è lì che sei stato tutti questi anni!, i *milicos* avevano preso anche te... Il floricoltore sorrise e fumò, quando tirò la seconda boccata chiuse gli occhi e sognò per un momento qualcosa di privato.

Al ragazzo quel gesto ricordò sua madre, a casa loro, che ascoltava gli aerei. Vivevano vicino al terminal vecchio, Carrasco Nord, palazzine di cemento che d'estate friggevano come padelle, erba gialla bruciata dal sole, lì atterravano i voli dall'Argentina, la loro casa era piena di polvere irrespirabile e rumori assordanti. La stanza del ragazzo non aveva le finestre, eccetto una vetrata al di sopra della porta, una porta altissima, dalla quale entrava al mattino presto la luce del sole trasformata in polvere che brillava galleggiando nell'aria e tremava a ogni decollo e ogni atterraggio.

Nessuna dipendenza è raccomandabile salvo l'amore, disse il floricoltore sorridendo di nuovo con la sigaretta tra le labbra, le quali, non avendo l'impedimento dei denti, erano più morbide e tiravano meglio il fumo. Ora si potevano vedere bene gli occhi, chiari e sereni. Aveva sollevato il viso per parlare anche con quello e risparmiare così la metà delle parole.

Che cosa guardi? La gente, disse, conto quelli che camminano con la testa alzata e quelli che camminano con la testa abbassata, che sono più dei primi. Il floricoltore e il ragazzo avevano idee simili riguardo ai passanti, sembrava che li vedessero con occhio da critico d'arte e che questi fossero in un quadro futurista, avevano molte gambe e molte braccia. Cosa importava realmente a quella gente? Dove andavano così di fretta, gelosi del loro mate? C'era chi lavorava persino di domenica, il mondo non poteva fermarsi per lasciare loro a casa con le famiglie e così anche le famiglie avevano imparato a pranzare separate tutti i giorni. Un tempo, disse il floricoltore al suo interlocutore o al pianoforte, i miei compagni hanno lottato per lavorare otto ore al giorno, poi hanno capito che il lavoro non era tutto e una nuova lotta ha fatto ottenere loro una riduzione a sei ore. Lavoro anch'io sei ore al giorno!, disse il ragazzo, il quale stava ancora pensando agli aerei e si svegliò al suono della parola lavoro, è vero, ma la gente non ne ha abbastanza, le spese sono tante, così si procura un secondo impiego e finisce che lavora più di prima! Il floricoltore sorrise ancora, ormai siamo quasi sicuri che i suoi sorrisi avessero il valore dei consensi e la forza delle negazioni. Tanto erano efficaci gli anni di solitudine per imparare a parlare con un sorriso! Lavorano di più perché vogliono comprare l'automobile, disse, i sedili delle auto sono comodi, ti avvolgono, ti massaggiano il collo e ti senti meno solo. La moto nuova del ragazzo era parcheggiata davanti al bar, gli era costata, come si suol dire, diversi anni di doppi turni, ma questo al floricoltore non glielo disse.

Insomma, concluse il vecchio, sono loro a guidare le macchine o sono le macchine a guidare loro?!, quando se ne renderanno conto, dopo aver passato anni a pagare montagne di cambiali, saranno vecchi e reumatici come me e la vita gli sarà sfuggita dalle mani. Un po' di facce, discretamente, rallentarono ciò che stavano facendo e annuirono, chi per sfida, chi per ammissione.

Sua madre, la madre del ragazzo, non la pensava così, per lei il lavoro era sempre stato sacro e quanto più ce n'era era meglio. Il ragazzo era confuso, quella visione sembrava troppo idealista, la vita reale era fatta anche di cambiali, il vecchio doveva pur ammetterlo! Era vero, ma era pur vero che molte di quelle spese che sua madre aveva voluto sostenere si potevano evitare, la macchina nuova, il secondo frigorifero, dieci paia di scarpe, non si trattava di ritornare all'epoca della pietra, il floricoltore si riferiva a quella particolare malattia che colpisce l'uomo, quel bisogno di avere sempre di più. Non era sbagliato però esistevano altre visioni, forse chi desidera sempre di più è il vero povero e non colui che possiede poco. Lo avevano detto altri prima di lui, gli antichi filosofi, Epicuro, Seneca, persino gli aymara, in altre lingue più spirituali della nostra. Per il ragazzo, che in fondo prima di lasciare gli studi qualcosa l'aveva letto, quelle non erano parole del tutto nuove. Anche lui, allora, seppe sorridere senza parlare.

Tutti e due pensarono al loro paese: un paese piccolo ma ricco di risorse naturali sufficienti per sopravvivere, poco più di tre milioni di abitanti, la metà dei quali viveva lì nella capitale, e tredici milioni di mucche tra le migliori al mondo, otto, dieci milioni di pecore stupende, un paese esportatore di cibo, latticini e carne, una semi pianura per il novanta per cento coltivabile. I loro occhi si riempirono del Rio de la Plata, pulito lungo la costa fino alla foce, le correnti erano amiche della città. Si potrebbe parlare di solidarietà, quella particolare forma di magia che ci fa provare ciò che provano gli altri, ma nessuno poteva esserne certo, l'unica cosa che sapevano mentre pensavano ai pascoli e alla bocca del fiume era che nelle città come la loro, le cosiddette città industrializzate, il sistema più diffuso per sopravvivere era la competizione, una competizione spietata! Fino a dove arriva la nostra fratellanza?, si domandò il floricoltore, gli uomini non riusciranno a dominare le forze che hanno scatenato ma saranno queste a dominare l'uomo!, l'uomo, e la vita... perché noi non siamo venuti al mondo per svilupparci, così, per modo di dire, ma siamo venuti al mondo per essere felici!, la vita è breve e ci sfugge, e se la lasciamo scorrere lavorando e lavorando e lavorando e consumando e consumando... Aspetta, aspetta!, tu parli come se noialtri fossimo immuni alla felicità!, lo interruppe il ragazzo, parli dei posti in cui sei sparito per tutti questi anni mentre io sgobbavo dietro a quel bancone; sai bene che la gente qui non ha molta scelta, non può permettersi il lusso di fare quello che le pare, tu conosci il barrio in cui vivo io?, non ci sono neanche le fogne lassù e ogni settimana bisogna svuotare i pozzi neri davanti alle case; i ragazzini giocano sulla merda dei quartieri ricchi, che arriva direttamente dalle loro macchine, i sacchetti dell'immondizia volano tutti i giorni dalle macchine in corsa!, passano e li gettano su di noi; e questa non è fratellanza, io non so come chiamare la miseria della mia città, la miseria puzza in qualunque modo la chiami.

Il bancone era vuoto. Sembrava che non ci avesse lavorato mai nessuno, eppure tanti come il ragazzo avevano trascorso ore e ore a accarezzarlo, domandolo come se fosse un cavallo selvaggio. Il floricoltore capiva il suo scetticismo, era sempre successo così fin dai tempi degli antichi filosofi, da cui lui non si sentiva influenzato pur esprimendosi talvolta nella stessa maniera. Le sue parole erano trascendenti, ma forse il floricoltore non se ne rendeva conto, aveva desiderato così tanto parlare con qualcuno che potesse rispondergli, gli bastava solo quella gioia per convincersi di ciò che raccontava. Il ragazzo aveva ancora tutta la vita davanti e se anche non se ne fosse convinto, si disse, non era poi così grave perché come aveva già ripetuto la sua non era la sola visione possibile, soltanto una delle tante.

Le pareti di legno del bar erano scure e luccicavano, anche il pavimento, che cigolava sotto il più piccolo peso, era fatto di listelli di legno. La moglie del proprietario, diventata anche lei proprietaria, era una donna grossa e rumorosa, cercava di spazzare la polvere appiccicata al suolo, un'attività abitudinaria come quella di spolverare i tavoli pieni di briciole o lavare i bicchieri che rimanevano comunque sporchi come tutti gli oggetti che dopo tanti anni assumono un colore proprio, che non è più quello che noi diamo loro quando li fabbrichiamo. Dalle palme attorno al vecchio palazzo del Mercado Central si sentivano i pappagalli che facevano la lotta con i colombi per contendersi i nidi migliori, tenevano svegli cani e cavalli a tutte le ore, qualcuna delle loro urla si confondeva con quelle dei bambini rinchiusi in una delle palazzine in salita, dove c'era una scuola.

Sulla loro testa pendeva una lampadina che sembrava spenta tanto era debole, si mosse come si muovono le lampadine, senza muoversi realmente, quando qualcuno aprì la porta con i piedi perché le mani erano piene di bicchieri. Laurita e Rosario erano vestite e veloci, per questo il bar aveva una buona reputazione nel quartiere fino al porto, lo conoscevano come il bar con le cameriere vestite e veloci e non come altri bar di altro genere con cameriere più svestite e più lente. L'angolo del pianoforte bianco era poco illuminato perché non ci si sedeva mai nessuno, la gente andava di fretta e voleva essere servita subito. La gente è sempre avida di attenzioni. Quella lampadina era accesa da quasi mille ore, soltanto quaranta giorni, da un momento all'altro si sarebbe spenta perché per ogni cosa è prevista una fine, per gli uomini e per gli oggetti. Il ragazzo non lo sapeva, ma ciò di cui stavano parlando aveva a che fare anche con una semplice lampadina. Cosa sarebbe successo se non si fosse spenta? Dove sarebbero finiti gli stabilimenti in cui ogni giorno venivano costruite migliaia di lampadine come quella, tutte destinate a una morte certa, una morte - oseremmo dire - programmata? Forse avrebbero lavorato meno, avrebbero trascorso finalmente la domenica a casa con le loro famiglie. Il ragazzo si pose un'altra domanda: è davvero questo il destino degli esseri umani?, lo sviluppo, la tecnologia, il progresso insomma, non possono andare contro la felicità, devono essere a favore di questa e dell'amore come prima cosa al mondo, l'amore per le relazioni, la cura dei figli, gli amici, le cose semplici infine. Pensò, è vero, si pose queste e altre domande, ma non disse nulla.

Abbiamo sacrificato i vecchi dei immateriali e occupiamo il tempo con il dio denaro, che ci dà l'illusione della felicità, sembrerebbe che siamo nati per consumare, per avere... e quando abbiamo avuto tutto ciò che si può comprare vogliamo di più, vogliamo possedere cose o persone, è una follia!, si disse, qual è il prezzo di tutto ciò?, il sacrificio delle relazioni?, l'amore, l'amicizia, la famiglia?, non avere più tempo da dedicare alla vita vera?, sostituiamo le foreste con il cemento, da camminatori diventiamo sedentari, curiamo l'insonnia con le pillole e la solitudine con l'elettronica... ma siamo felici? Rabbrividiva, poi ebbe una visione che trascriveremo fedelmente: un uomo si affaccia dalla finestra del suo ufficio, in una grande città, è solo un uomo affacciato a una finestra, si barcamena tra le finanziarie e la routine quotidiana, il suo ufficio è uguale a tutti gli altri, qualcuno ha l'aria condizionata, in qualcun altro si respira a fatica perché i ventilatori non funzionano mai, sogna le vacanze in Europa, la libertà, sogna di finire di pagare i debiti fino a quando un bel giorno il suo cuore smette di battere... ma ci saranno altri soldatini pronti per servire il mercato.

Forse è il momento di iniziare a pensare alla felicità, forse il vecchio ha ragione, se avesse ragione saremmo uomini migliori. Doveva ammettere il ragazzo che non si era mai posto tante domande tutte insieme. Fumarono un pacchetto intero di Nevada, erano le più leggere e le più economiche, dopo un certo numero di sigarette il fumo che entra nei polmoni è il male minore, c'è prima tutta un'altra serie di mali da tenere a bada.

Ti manca tua moglie?, chiese il ragazzo. Molto, non tarderò ad andare, stanotte dormiremo abbracciati come piace a lei. Tua moglie è una donna saggia, non è così. Tutte le donne lo sono, rispose il floricoltore, persino le più scellerate!, mia moglie è folle, come me, ha perseguito il sogno della libertà e ha pagato per non essersi arresa a una vita mediocre fatta di lusso e abitudini, abbiamo preferito la sobrietà all'opulenza, la frescura della campagna alla nevrosi del centro. Dove vivete?, chiese il ragazzo. Su, in una chacra al Rincón del Cerro. E non avete mai pensato di trasferirvi in un appartamento?, sarebbe più comodo per... Per un vecchio?! Il ragazzo, imbarazzato, non seppe come spiegare che essere vecchi per lui era un merito e non una colpa. Ma il floricoltore lo sapeva già. Viviamo in questa chacra da più di trent'anni ormai, perché dovremmo cambiare casa?, continuò, abbiamo cani e galline, coltiviamo fiori. La lampadina danzò ancora un po' il suo valzer silenzioso sulle loro teste, il floricoltore dimenticò di cosa stava parlando perché il ricordo di sua moglie era più forte e sostituiva gli altri come una nebbia fresca di primo mattino, una di quelle nebbie che salgono lungo i palazzi più alti e colorano di blu intenso le finestre socchiuse. Sognò per qualche minuto la sua chacra, i fiori, l'auto dei vicini che era riuscito a riparare molte volte. È così che le automobili diventano nostre, quando mettiamo le mani nel loro ventre e trapiantiamo gli organi donando loro nuove vite. Forse, se gliele avesse mostrate, le sue mani avrebbero rivelato i segni di quella passione per i motori o per le nuove vite. Il ragazzo immaginò di ritrovare la Wolkswagen data via per comprare la moto, quell'auto apparteneva a suo padre, gliel'aveva lasciata prima di sparire. Forse era morto, forse era semplicemente partito come fa tanta gente che non ritorna più. Se l'avesse riparata, pensò, probabilmente suo padre sarebbe stato meno morto o meno lontano.

Il padre del ragazzo era giornalista, lui se lo ricordava bene, ma non abbastanza da poter essere certo che i sentimenti celati dietro quei ricordi fossero veri. Conservava immagini confuse della sua infanzia, persone che forse sarebbero diventate come quel vecchio e detto cose interessanti sulla felicità, invece le uniche parole che gli erano più familiari in quella confusa mescolanza di realtà e finzione che noi chiamiamo memoria, erano quelle dietro una porta chiusa in un edificio all'angolo tra calle Ituzaingó e Cerrito, alle spalle del porto.

Bisogna precisare, per comprendere meglio i ricordi del ragazzo, che in un paese con tre milioni di persone, metà delle quali nella capitale, si conoscono tutti e si finisce per appropriarsi persino dei ricordi altrui. Se qualcuno passeggia tutti i giorni lungo la stessa strada e incrocia la stessa persona, vive inevitabilmente una parte della sua vita, e, quando un giorno all'improvviso non si incrociano più, i loro pensieri ritornano a essere privati. È una specie di lutto per una persona cara che ti sorrideva tutti i giorni dall'altro lato del marciapiede. Se durante la dittatura militare non vedevi la stessa persona del giorno prima allo stesso angolo, pensò adesso il ragazzo, era perché i soldati, per una ragione o per un'altra, l'avevano arrestata. E le torture che in quel momento stava subendo diventavano anche le tue. Negli anni Settanta finivano tutti dentro, chi a lungo, chi solo per un giorno, erano prigionieri politici, anarchici, ribelli o fanatici, erano tutti pazzi perché non avevano altra scelta. La dittatura ti rende pazzo.

Dietro quella porta che aveva ora in mente c'era la redazione del *Diario Español,* il giornale in cui lavorava suo padre, e quelle urla che adesso lo facevano tremare di paura non erano le sue, di suo padre, ma del direttore del giornale, il quale dall'altra parte di una parete bianca candida – allora considerata un capriccio da borghesi – insultava qualcuno che lui avrebbe proprio voluto che non fosse suo padre. Tu non sei qui per darci le tue opinioni, la denuncia è affare da signorine ribelli, urlava il direttore del giornale, chi è sparito non ti riguarda se non ti viene espressamente domandato, qui si scrive solo quello che ti viene ordinato e nei tempi utili a questo giornale, se non vuoi tornare nei campi insieme agli altri! Mi scusi signor direttore se mi sono permesso, – questa era la voce piccola di suo padre – chiudo tutto entro le otto come da programma e ignorerò le denunce per le sparizioni e gli stupri. Ma quella non poteva essere la voce di suo padre! Per un bambino abituato a un tipo di voce, è difficile accettarne un altro. Avrebbe potuto affacciarsi nel corridoio, la porta era dietro quelle imposte altissime che cigolavano anche solo a guardarle, come le fasce di legno sul pavimento che lui tentava di non toccare tenendo i piedi appesi alla sedia come fanno i bambini; le tende con i fiori puzzavano di frittura e gli facevano ombra sui sandali nuovi. La voce di suo padre non era quella, sembrava che stesse piangendo per ricevere il perdono o il consenso, due atti per i quali non ci si dovrebbe abbassare perché si trovano negli occhi della gente e non per terra.

Quando aveva tre anni e suo padre non era ancora sparito, andavano in giro con un'auto da corsa, la guidava mentre suo padre la teneva con una corda e lui si sentiva più al sicuro. Il barrio era circondato da colline verdi, fiorite, sotto le quali c'erano quintali di immondizia; la ammucchiavano lì e la ricoprivano di terra. Passeggiavano sui marciapiedi distrutti, gli unici odori che ricordava erano quelli delle due fabbriche alla fine della strada, un panificio della Pangiorno e una grossa azienda farmaceutica della quale non aveva mai capito il nome. L'odore del pane si mescolava con quello delle medicine e diventava insopportabile. Dietro le reti usate per recintare i giardini c'erano famiglie che giocavano sul prato giallo, i cagnetti provavano a fare l'amore, ma, come accade sempre, le loro taglie erano troppo diverse. Adesso cos'altro si celava dietro quel ricordo? Oltre a ciò che stiamo immaginando, c'era la puzza già descritta dal ragazzo, la puzza della plastica sciolta al sole, la miseria senza logica nei fiumi neri ai lati della strada in discesa su cui giocavano i bambini come lui, senza le scarpe, e si rotolavano nella terra assieme ai cani.

Stai pensando a tuo padre?, chiese il floricoltore. Tu come lo sai?, gli fu risposto. Hai gli occhi di uno che pensa a suo padre. Ne indicò uno con un dito: in questo c'è orgoglio, disse, e in quest'altro vergogna. E che cosa vuol dire? Che sarai un uomo migliore di lui, hai la sua forza, si vede, così tanta che ti servirà persino a non commettere gli stessi errori.

Questo vecchio potrebbe avere novant'anni, si chiese il ragazzo. Era magro e debole, giocava con i denti che gli restavano e sognava di ritornare a casa da sua moglie come se l'avesse lasciata quella mattina. A causa di una rara paura di non amare più qualcuno o di non essere corrisposto come prima, stava parlando di felicità con un ragazzo qualsiasi incontrato per caso. Rinunciare a tredici anni della sua vita a causa della dittatura era stato il prezzo per rimanere un uomo libero, ma adesso era solo un vecchio con la paura di non essere amato. A che ora chiude il tuo bar? Tardi, a volte non chiude affatto. Allora a quanto pare abbiamo tutto il tempo che vogliamo! Ogni volta che uno dei due pronunciava quella parola, tempo, sentiva tremare la propria voce come un rumore forte di qualcosa che non si vede. Quella parola li rendeva felici infine, e, alla luce di quanto si erano detti, persino noi ne comprendiamo la ragione.

Il floricoltore disse: la vita è stata straordinariamente generosa con me, mi ha dato infinite soddisfazioni, più di quante avrei osato immaginare, e quasi tutte immeritate... Si accarezzò la fronte e continuò: prima di entrare in questo bar stavo andando in biblioteca, avevo dimenticato che oggi fosse chiusa, ultimamente dimentico molte cose ma non è per l'età, no, non sono rimbambito, non fino a questo punto, si tratta dei pensieri! Che pensieri?, domandò il ragazzo. Pensieri che volevo risolvere lì in biblioteca, speravo di trovare dei libri letti alcuni anni fa. Quando eri in carcere? Peggio!, quando ero rinchiuso in un pozzo e non mi lasciavano né mangiare né leggere nulla, solo dopo sei anni mi hanno dato il permesso. E tu cosa hai scelto? Ah!, non ho scelto io, disse il floricoltore, sceglievano loro per me!, testi di scienza e filosofia.

Era stato allora che si era appassionato alle teorie di Seneca sulla felicità... Seneca era stato il maggior stoico tra i pensatori; aveva detto che la felicità non è una condizione dell'essere umano ma la sua più grande passione. Era stato il primo a dirlo; dopo di lui, tanti altri filosofi avevano condiviso le sue parole. Tutti dovevano essere morti felici.

È passato troppo tempo, non ricordo un granché, continuò il floricoltore, neanche i titoli di quei libri, ma quelle poche parole che non ho dimenticato mi servono ancora a risolvere i pensieri difficili... se penso a tutto quello che avrei potuto leggere! Puoi ancora farlo, disse il ragazzo, invece di brontolare. No, non con questi occhi, guarda. Sollevò lo sguardo, ben fermo questa volta, e il ragazzo riconobbe le antiche gioie di cui aveva perso il ricordo. Gli occhi acquosi dei vecchi servono a questo?, si chiese, a farci ricordare che eravamo bambini gioiosi? Lo fissò con curioso rispetto. Con questi occhi, ripeté il floricoltore, posso soltanto sognare ciò che ho già letto, e dovrà bastarmi, Seneca diceva che una vita fedele alla propria natura è una vita felice. E tu, sei stato fedele alla tua?, gli chiese il ragazzo. Sempre, in ogni circostanza, non ho mai accettato compromessi perché la vita mi ha insegnato ad amare ciò che ho, un giorno lo insegnerà anche a te.

Quando un vecchio incomincia col dire frasi come, un giorno vedrai... oppure, la vita mi ha insegnato... un ragazzo solitamente capisce che è ora di andare, a nessuno piacciono i sermoni, neanche a noi, che, tuttavia, se non avessimo intuito dal seguito della loro conversazione che di sermone non si trattava, non avremmo continuato a riportarla nelle pagine che seguono.

Ciò che dico, continuò, non lo dico come quei politici che sembrano menestrelli saputelli, ma cercando un senso, poiché solo gli ignoranti credono che la verità sia solida e definitiva, quando invece è appena provvisoria e gelatinosa, bisogna cercarla, va rincorsa di nascondiglio in nascondiglio, e, povero colui che intraprenda da solo questa ricerca! Il ragazzo vide in quello sguardo, benché fosse stanco e liquido, una giovanile fame di conoscenza che il floricoltore non aveva mai perso. Quando glielo chiese, quando gli chiese: tu come hai imparato a cercare?, il vecchio rispose: si finisce per conoscere qualcosa perché prima stavamo scomodi senza saperla, impariamo perché abbiamo prurito ed è un prurito che si contrae per contagio.

Dalla cucina si sentiva il rumore e l'odore delle fritture, le voci delle cameriere entravano asciutte e uscivano intrise di olio. L'eco sporca era tipica dei bar del sud, le ragazze ridevano e anche le loro risate si sporcavano di olio. Cosa occorre dunque per essere felici?, si domandava il ragazzo, e, giacché non esiste una lista di cose obbligatorie ma ne esistono innumerevoli per ognuno di noi, non trovò una risposta precisa.

Il ragazzo aveva poca barba, indossava una camicia scorciata al gomito, come erano soliti fare i baristi per praticità e per mostrare i forti muscoli degli avambracci, del colore della sabbia, con due tasche per l'apribottiglie, le penne, il blocchetto delle ordinazioni e altri tesori che custodiva gelosamente. Dal collo scoperto s'intravedevano una maglietta dello stesso colore dei suoi occhi, quell'azzurro chiaro simile al mare durante una traversata in piatta, due occhi liberi dei quali non si sentiva ancora degno, e pochi peli sul petto. Un giorno avrebbe avuto anche lui lunghi peli sul collo e sulla schiena, baffi folti per nascondere le emozioni rivelate dalle labbra, una voce rauca e poco cordiale con i clienti, e una pancia grossa come tutti gli anziani che sedevano ora sulla terrazza. Le sedie fuori erano di plastica, il legno era troppo prezioso per sprecarlo sotto quelle raffiche di salsedine e piogge improvvise.

Il floricoltore pensava a sua moglie, l'ultima volta che l'aveva vista, nella loro chacra, beveva mate bollente come piaceva a lei e si accarezzava la pancia. Il mate si beve così, la bombilla lo cerca mentre gira intorno all'erba per bagnare quella fresca e scartare quella lavata.

Prima che il vecchio, allora un giovane floricoltore, sparisse per tredici anni, avevano fatto l'amore con tutto quello che avevano in corpo, e, se due esseri umani sognano così intensamente la stessa cosa, soltanto un dio ingiusto può intromettersi e negargliela! Sua moglie aveva aspettato il tempo necessario, poi aveva capito che il suo bambino non era mai esistito dentro di lei ma soltanto in quei sogni che aveva in comune con lui; era una persona silenziosa, chiacchierava per ore se era necessario, ma il migliore dei silenziosi non è proprio colui che pur parlando tanto non rivela nulla?

In alcuni riflessi delle vetrate il ragazzo vide le nuvole piccole muoversi lentamente sopra i palazzi enormi di 18 de Julio. Il loro respiro, se prendeva il ritmo delle nuvole, diventava più piacevole. L'Avenida era lunghissima, i semafori funzionavano secondo il senso che gli si preferiva dare, potevano essere interpretati a favore dell'uomo o delle automobili. E siccome a quell'epoca non ce n'erano ancora tante, né di auto né di persone, si finiva col rispettarsi a vicenda lasciando passare per primo chi aveva più fretta.

Quel ragazzo comunque possedeva l'eleganza degli uomini alti, gli piaceva camminare per strada quando non c'era nessuno e si sentiva il rumore dei sandali, di notte ad esempio, o al mattino presto quando gli uccelli ululano al posto dei lupi. Calzava sandali vecchi, i jeans stretti e logori accentuavano la sua magrezza. Orologio d'oro e jeans sporchi, le contraddizioni che si portavano addosso quelli della sua generazione! Quando aveva freddo, il ragazzo, cercava di non tremare, il freddo gli aveva insegnato a lottare.

Il floricoltore si ricordò delle lotte e si sentì più giovane. Il ricordo serve a questo?, si domandò. Le gengive gli facevano male, facevano la guerra con i denti, e il più delle volte vincevano loro. Una signora uscì dal bar con la pancia piena di *chorizos*, aveva un vestito a fiori e un paio di scarpette rosse. Per fortuna esistono ancora le scarpe rosse!, disse il ragazzo in tono scherzoso. Il floricoltore, come al solito, sorrise. Il più delle volte sorrideva soltanto con gli occhi, ma tutto il suo volto si illuminava. Che importanza ha a cosa servono i ricordi, si disse allora.

Ciò che il floricoltore non capiva era perché quel ragazzo, portando sandali aperti desse l'impressione di essere una persona, e, per altri dettagli come la moto là fuori o l'orologio, ne sembrasse un'altra. Sembrava che due individui sconosciuti fossero in conflitto tra loro all'interno dello stesso corpo. Negli occhi del ragazzo, comunque, non si notavano grandi battaglie, erano piuttosto miti e assuefatti.

Nei brevi momenti in cui il vecchio incrociava quegli occhi, rivedeva il ribelle che lui stesso era stato ai tempi in cui aveva amato una donna bellissima e, come si suol dire, l'aveva spogliata con gli occhi. Come si fa a spogliare qualcuno senza toccarlo, o, se preferiamo, a toccarlo con gli occhi? Il fatto è che non siamo capaci di trovare nuove espressioni per descrivere il ricordo della giovinezza e dell'amore. Sua moglie lo aveva salvato da un'esistenza catastrofica come tutte le vite spese in solitudine. Una donna può essere salvatrice di vite, può coltivare nel suo grembo gli anni che da solo avrei sprecato, si disse. Insieme il tempo ha più senso, si ripeteva il floricoltore, cosa avrei fatto altrimenti per tutti questi anni! La voce di lei, quando lo chiamava, era quella di una bambina che cercava il suo papà. Gli piaceva aspettarla di mattina, quando si svegliava e lo chiamava per nome. Al pensiero di una figlia mai avuta, fece un accenno di sorriso al ragazzo, il quale, colto alla sprovvista, non ne comprese la ragione. Il floricoltore stava rischiando di commettere l'errore più comune quando si tratta di ricordi: confonderli con il presente. Ma che male c'era in fondo! Era soltanto un vecchio e quelli erano soltanto dei ricordi, la voce di sua moglie, la speranza che gli telefonasse quel giorno d'estate per dirgli che era incinta e infine la rassegnazione assopita negli anni.

Il chiacchiericcio che faceva da sottofondo alla loro conversazione era a tratti più forte e a tratti più debole, come se si trattasse della voce di una sola persona. Ma forse lo era. Al ragazzo non importava quanta gente stesse parlando: le parole volano via, ne erano passate tante in quel bar e tutte lo avevano lasciato indifferente fino a quell'incontro.

C*he!*, vuoi che ti accompagni?, prendiamo la macchina della proprietaria, disse il ragazzo, una volta ci è entrato Zitarrosa in persona! Tu pensi che io sia ubriaco, gli fu risposto, per un poco di grapamiel? Macché!, te l'ho chiesto perché potremmo continuare a chiacchierare fuori senza che nessuno ci interrompa, il mio turno qui è finito. Il ragazzo lo prese sotto braccio, era premuroso, il floricoltore non se lo aspettava. Si avviarono insieme verso la strada, nessuno si accorse di loro. La porta poteva aprirsi per il vento o perché qualcuno stava uscendo, per la proprietaria era lo stesso poiché tutti avevano pagato il conto.

Nel varcare la soglia, le loro figure si confusero con le tendine della porta principale, erano volatili come quella stoffa, di passaggio, un materiale come un altro di cui è fatto questo mondo, cotone, legno, cemento, persone. Entrambi pensarono alle vite inutili e a quelle piene di cui avevano parlato. Il floricoltore si ricordò di quando si era innamorato, durante gli inverni umidi del sud, di notte. Dormendo ci si innamora?, si chiese, mentre parlavamo, così, tra la veglia e il sonno, ho capito che se io lo volevo non ero più solo? Il ragazzo non aveva ancora provato quei sentimenti, aveva dormito con Cecilia Varela, una ballerina, nel suo letto morbido sotto la zanzariera, e con qualche cliente del bar, giovani turiste straniere, spagnole, italiane, alla ricerca di quella certa libertà che nei loro paesi, dove avevano un'identità, non riuscivano a trovare.

Una pioggia recente o antica aveva cancellato il menù scritto col gesso sul cartello all'entrata, le fioriere di legno erano piene di quelle piogge, il vecchio le aveva viste tutte, una per una, le piogge torrenziali cadute sulla città senza avvisare, e non lo avevano mai sorpreso. Le emozioni si alimentano di ciò che non esiste, giacché possono diventarne una sostituzione necessaria, ma quando accadeva qualcosa tanto vera quanto reale lui aveva preferito viverla senza badare a ciò che provocava in quel certo posto che non sappiamo individuare, in fondo alla pancia.

Alla fine della strada in discesa c'era il Rio de la Plata, l'acqua era marrone ma non perché fosse sporca, piuttosto perché era piena di vita, agitava tutto ciò che le stava dentro, era l'acqua più viva che entrambi avessero mai visto, agitatrice di vite. Dai giardini di Plaza de España arrivava l'odore del sudore che impregnava la città, le lamiere azzurre facevano compagnia ai vecchi palazzi. E dal terzo piano di un edificio in costruzione, un operaio cileno sollevò la mano scoprendo la grossa pancia e chiamò, Pilar, Pilar, *mi amor!* Due piani più in basso, i suoi compagni arrostivano la parrilla per il pranzo, churrasco e pane, e ridevano di lui e dell'amore.

Nel silenzio generale dell'immensità del mare e del vento latinoamericani, si sentiva soltanto il cigolio dell'altalena sul retro della piccola stazione di rifornimento dell'Ancap. Un bambino si lasciava portare su e giù dall'inerzia, senza ridere, e li osservava con lo sguardo di un adulto cinicamente curioso, la puzza della benzina e del gas era portata via dal vento. Mi sono mancati il cielo e il mare impetuosi, disse il floricoltore, sono selvaggi, in grado di farti percepire lo spazio che hai attorno e di non farti sentire al sicuro come in quelle piccole baie europee, quaggiù lo sappiamo, le voci diventano acute per vincere il vuoto che le separa da chi le sta ascoltando, quel vuoto davanti al quale tutti impariamo a lottare per essere pieni, e quando di sera va via il sole - il floricoltore indicò l'infinito - sulla nostra testa appare questa coperta rosa di nuvole che scende verso l'orizzonte dove cantano gli uccelli che non si vedono mai e via via che si allontana diventa sempre più piccola e fitta.

Un furgoncino della polizia nazionale passò improvvisamente davanti a loro con la sirena accesa; le sirene suonavano a tutte le ore, di giorno e di notte, a volte sembrava che fossero finte, giochi per bambini o televisori alti dei vicini; li fece spaventare come succede a chi sta camminando in un altro mondo e viene richiamato con violenza in questo. Persino il floricoltore non aveva esperienza sufficiente per mescolare mondi diversi. Si avviarono verso la fermata, avrebbero preso l'omnibus per la periferia, il nostro è il centoventisette, disse il floricoltore, ma dopo molti anni di lontananza il numero poteva essere cambiato. Non volle salire in macchina perché, diceva, le macchine puzzano di plastica e alla sua età tutte le puzze e i rumori erano amplificati dai sensi, affinati come quelli dei gatti. La voce ferma ma leggera del ragazzo, per esempio, gli arrivava all'orecchio come se passasse prima in un frigorifero vuoto. E il rumore del mare, che si trasformava in fiume a due quadre da lì, non gli si era mai tolto dalla testa. Sembrava che l'udito fosse insano come quello di tutti i vecchi, ma che si servisse di altri mezzi per intuire i rumori, sentirli direttamente nel cervello senza essere filtrati dalle orecchie.

E così passeggiavano, e noi ci chiediamo dove fossero diretti, insieme, due tizi che si erano incontrati per caso in un bar per parlare di felicità! La città non amava quella parola, ogni volta che la pronunciavano erano sommersi dai rumori del traffico e del vento urbano, quel vento finto che in natura non esiste e nasce soltanto agli angoli dei palazzi.

La gente litigava ridendo lungo le strade in salita del Barrio Palermo, gridava nei vari dialetti per vendere qualsiasi cosa, vestiti usati, telefoni rotti, bambole senza i capelli, la loro felicità non sembrava la stessa della quale parliamo in queste pagine. Davanti a un bar ballavano il tango, la musica si diffondeva lungo il marciapiede, dietro le porte di vetro, come vento che entrava dappertutto. Alle loro spalle, l'acqua continuava a cadere sui lucchetti arrugginiti di una fontana, la moda del ponte vecchio di Firenze, la moda degli innamorati, uguale in ogni angolo del mondo. Sull'Avenida passavano gli ominibus e qualche automobile vecchia, ancora poche gocce superstiti dell'immensità di acqua caduta per tutta la notte, rumore di secchi sbattuti sulle porte delle case e sui soffitti di vetro a campana. I due ballerini si esibivano su una terrazza, il pavimento di legno avrebbe cigolato senza il tango, ma il tango, si sa, cancella tutti i rumori, è prepotente e ti obbliga a smettere qualsiasi attività. Lei si chiamava Cecilia Varela, - i lettori attenti tra di noi la conoscono già - indossava una gonna di raso rosso che non era capace di nascondere le forme perfette delle donne di questa città, tutte perfette anche nell'umana imperfezione, capelli neri, legati allo stile flamenco spagnolo, e una camicetta verde che teneva stretti due seni piccoli e duri, per non farli volare via come colombe; lei, quindi, era una ammaestratrice di colombe. Lui aveva gli occhi puliti delle persone buone, portava un cappello francese e, giacché non è il ballerino che ci interessa adesso, su di lui non daremo altri dettagli.

Il ragazzo osservò i movimenti di Cecilia e fu tentato di lasciare il floricoltore e avvicinarsi, tremava e stringeva i denti, soltanto lui poteva ballare con quella ragazza: vederla tra le braccia di un altro era la cosa peggiore che potesse accadergli proprio adesso che stava per capire qualcosa di più riguardo alla felicità.

I passanti si erano fermati e i camerieri

vestiti da donna, con gonne verdi e attillate, avevano smesso di servire, immobili con i vassoi in mano, mentre la coppia si toccava per finta ripetendo i movimenti precisi studiati negli anni di strada: si guardavano senza gli occhi e si toccavano senza mani, o almeno, questa era l'impressione del ragazzo, stupore e gelosia, mentre proseguiva la sua passeggiata assieme al vecchio. Lo stupore è come lo zucchero caldo, quando si indurisce non può più ritornare liquido.

Si sentivano gli zoccoli dei cavalli mal nutriti e i carretti pieni di plastica e bottiglie che si trascinavano dietro come la più abietta delle condanne; i loro proprietari si chiamavano *selecionadores*, non indossavano la camicia, sedevano sul carro e a ogni bidone urlavano *dale vo'...*, per fermare il mulo e rovistare nell'immondizia. Interi quartieri a ridosso del centro erano fatti di lamiere e mattoni, ci vivevano uomini e cavalli. Lì i bambini mangiavano mate e zucchero per riempirsi la pancia. Strade e piazze fatte di lamiere, che d'estate ardevano come piastre sul fuoco e d'inverno si ghiacciavano. I bambini non riuscivano a alzarsi di mattina perché si svegliavano congelati e quando verso mezzogiorno il sole incominciava a riscaldarli, finalmente uscivano a giocare. Non tutti sapevano scrivere, molti sapevano a stento parlare, per far rispettare i loro spazi usavano pugni e morsi. L'umidità raccolta sotto i bassi soffitti durante la notte nel frattempo si trasformava in gelide gocce che cadevano sui letti per tutto il giorno, e di sera erano costretti a coricarsi nelle lenzuola bagnate perché non si asciugavano mai per tempo. D'estate, invece, quando le temperature raggiungevano qua- ranta gradi all'ombra, le lamiere scottavano e in quegli stessi letti ci si scioglieva in una pozza di sudore.

Nei posti in cui è sparito il vecchio, si domandava il ragazzo, conoscono questa parte della mia città?, o si parla soltanto della piazza con la solita statua di Artigas e della parrilla per i turisti nell'ex Mercado del Puerto?!, la gente conosce le storie delle ragazze violentate tutte le sere e madri di due, tre bambini, a volte di uomini diversi, a neanche vent'anni?!, un paese di gente libera, che non accetta compromessi, ma anche un paese di donne che esistono soltanto quando rimangono incinte, gravidanza dopo gravidanza, e appena il più grande incomincia a camminare ne vogliono un altro, e poi un altro ancora, perché, senza, non sarebbero nulla, soltanto povere e anonime passanti; città di ipocriti e stupratori, ex *milicos*, formati in Panama dall'esercito francese, coccolati dall'Inteligencia, i Servizi Segreti, in generale erano loro quelli specializzati nelle torture, intoccabili dopo la legge dei due diavoli, e che oggi nei supermercati si incrociano con le stesse donne torturate durante la dittatura; e io sono qui a parlare di felicità!

Mentre guardava i suo concittadini che sembravano non avere alcuna cura del tempo, inseguitori di mate e milonga, il floricoltore disse: questi sono i figli della sofferenza, eredi della lingua spagnola, forbita e raffinata, ma anche della pericolosa capacità di negoziare degli italiani, generazioni di emigranti hanno popolato il nostro paese che oggi è un paese libero. Lo è grazie a quelli che hanno combattuto, come te, disse il ragazzo. All'età che ho, rispose il floricoltore, non ricordo neanche se in quegli anni mi battessi per la libertà o a causa di quel gene della ribellione con cui vengono al mondo alcune persone.

Era tardi, adesso, per lamentarsi di qualsiasi cosa. A un certo punto della nostra vita smettiamo di porci domande e facciamo i conti con le risposte che abbiamo in mano, come stava facendo adesso il floricoltore all'angolo tra Andes e 18 de Julio.

Per andare al Rincón del Cerro bisognava prendere due omnibus, era a venti chilometri dal centro, più o meno un'ora e mezza di cammino. Quando gli omnibus di questa città si fermano per far scendere qualcuno, non lo fanno mai completamente, sembra che stiano gettando fuori un poveraccio che non ha pagato il biglietto o uno straccione che cerca da mangiare - e per quello ha sbagliato città -. Due ragazze salirono di fretta dietro di loro, erano povere, si muovevano come principesse attese a un ballo. E quanto più le ragazze erano povere tanto più erano belle; i loro seni grandi e i fianchi larghi modellati con la cera erano magia rioplatense che il mondo intero invidiava. Era la regola cui nessuno osava disobbedire. I loro corpi scivolarono con tutta la passione mal contenuta in quei vestiti leggeri del mercatino, erano talmente sodi che non avevano bisogno di alcun gingillo come quelli cui ricorrono molte donne disoneste per ingannare gli uomini e gli specchi. Qualsiasi straccio avrebbe reso loro giustizia. Sorrisero entrambe al vecchio e anche al ragazzo, per rispetto degli anziani nel primo caso e per altre ragioni, cui in questa narrazione non ci interesseremo, nel secondo. *Arriba!*, urlò il conducente. L'omnibus era pieno di gente di tutte le razze, li sballottò lungo la salita fino al terminal, Paso de l'Arena, dove passeggiavano uomini che odoravano del sapore amaro di mate e sigarette, accompagnati da giovani donne dai tratti perfetti e visi angelici con l'unica colpa di essere nate in un paese che non offriva loro un'esistenza felice.

Un vecchio bruciato dal lavoro negli allevamenti dove nessuno poteva combattere contro il sole come facciamo noi permettendoci tanti capricci cosmetici o accessori all'ultima moda, salì portando con sé una scatola piena di dolci divisi in due colori con un pezzo di cartone. *Buenos días señores, vendo barritas de chocolate*, gridava, *cantidad y calidad, barritas de vanilla y chocolate señores!*

In molti portavano sotto il braccio il thermos e il mate. Qualcuno ne offrì un sorso al floricoltore, il quale gentilmente rifiutò. Non ti piace?! Certo, rispose, ma non vado in giro a bere quello degli altri. Il ragazzo ebbe l'impressione che ognuno di loro, lui compreso, vivesse in un mondo di miseria personale. Quello che succede con la miseria, si disse, è che nessuno se ne rende conto fino a quando non tenta di osservarla da vicino. La miseria è una ricchezza da poveri: la si può soltanto vivere, forse addirittura trovarci del buono, ma non descriverla per il divertimento di chi, infine, non comprenderebbe quella vita fatta di limiti meravigliosi che insegnano il valore di ogni piccola cosa.

Lungo la strada videro i bambini del barrio giocare a calcio con una lattina della coca-cola, i loro erano occhi di adulto, non ridevano mentre calciavano forte per fare gol contro il muro. Un uomo vestito di nero, di ritorno dal Macabi, stava guardando fuori dal finestrino mentre si arrotolava il tefillin di cuoio attorno al braccio per la preghiera del mattino. Non era mattina, come sappiamo, giacché questa storia è incominciata in un pomeriggio umido e ventoso, ma che importa! Ognuno ha il suo fuso orario nella propria testa... Le facce su tutti i sedili erano uguali, possedevano caratteristiche simili come succede nei piccoli centri, dove la genetica ha poca fantasia e finiamo per sembrare tutti parenti alla lontana. Le voci allegre e le facce tristi erano i simboli con cui il ragazzo avrebbe descritto la sua gente, capiva se stesso soltanto osservando gli altri. Vicino a loro sedevano altre ragazze, capelli sporchi, scarponcini da uomo, bambine che portavano bambini nelle braccia. Anche queste, nella misura in cui la loro trascuratezza fosse una trascuratezza oggettiva per la quale non potremmo trovare alcuna argomentazione che ci convinca del contrario, nascondevano una serena e indiscutibile gioia per la vita. La vita, ecco un'altra regola che tutti osservavano senza protestare.

Fumi?, domandò questa volta il floricoltore al ragazzo. Teneva le mani appoggiate sullo schienale del sedile davanti al suo, non guardava fuori perché conosceva tutto a memoria. Fumarono ancora una Nevada, forse l'ultima. Le tendine erano logore, alla radio parlavano di politica; quando alla radio si parla di politica bisogna cambiare voce, anche i politici lo fanno, è come un gioco per riconoscere le voci o per sentirsi uomini veri quando si parla a tanta gente. Ma alla gente, in fondo, non importava della sincerità di una voce purché il proprietario l'aiutasse a mangiare di più!

Il ragazzo fumava e pensava a sua madre, ai mobili vecchi del bar, con i quali avevano arredato la casa, al vecchio frigorifero verde buttato per comprarne uno nuovo, ma quello verde funzionava ancora!, si disse, e pensò alla calce delle pareti e alle alte travi di ferro e legno. Quando era bambino, gli sembrava impossibile arrivare lassù, ma adesso i soffitti erano più vicini. Ricordava ogni cosa della sua infanzia, incluso quella costante sensazione di svegliarsi e di non comprendere il sogno appena concluso, e non era disposto a rinunciare a nessuno di quei ricordi. Nella maggior parte dei casi sognava Cecilia Varela, la sognava mentre nel mercatino di Wilson Ferreira vendeva prosciutto e empanadas, e, quando annotava con la penna il totale sulla carta prima di avvolgerla attorno alla carne, inclinava un poco la testa da una parte e dall'altra come se stesse ascoltando un tango dedicato a un'altra donna, il suo viso era una melodia stanca e cantata a bassa voce. Il ragazzo era stato geloso persino della macchina con cui lei affettava la carne, sembrava che ballasse anche con quella. Cecilia aveva gli occhi tristi della povertà. La gente era ricca all'epoca della vicenda che stiamo riportando, ma la sua ricchezza non aveva nulla a che fare con il denaro. Quelle come lei erano cresciute rifugiandosi unicamente nei loro sogni, dentro i quali erano rimaste sempre bambine. Altrove poteva succedere qualsiasi cosa, come raccontavano le canzoni durante la dittatura, le filastrocche per non dormire all'ora della siesta, *al botón de la botonera chim pum fuera,* diceva il testo, *a los que encerraron a los pájaros / a todos los que nunca sonrieron / a los que mataron mariposas / negándonos el pan y hasta las rosas...* Forse Cecilia gli mancava, ma non ne era sicuro. Si trattava di uno strano tipo di nostalgia, che il ragazzo non sentiva nel petto come succede ai veri innamorati, quelli che si contorcono nel letto come salamandre gridando e piangendo, ma nella testa, perché si trattava di un pensiero e non di un sentimento. Il ragazzo quindi pensava la sua nostalgia e si chiedeva come mai non la provasse nella pancia. Attraverso i finestrini opachi nel frattempo la strada sembrava più lontana.

Quando arrivarono, il ragazzo osservò la povertà, sulle tavole appoggiate alle panchine una donna vendeva i pezzi rotti delle automobili e le ruote dei tricicli: quanti bambini senza una ruota stavano tentando in quel momento di pedalare in quel quartiere? E gli stessi pappagalli che volavano nel Parque Rodó, ora erano rinchiusi nelle gabbiette e venduti per pochi pesos, gridavano e si mescolavano l'uno sull'altro come se fossero liquidi. Ancora una volta si domandò perché quell'uomo vivesse laggiù. Chiunque, nella sua situazione, si sarebbe trasferito in centro, dove c'erano molti posti adatti a coppie di anziani con una pensione decente, c'erano i supermercati, i dottori, i circoli per ex politicanti, le Ferias di Tristán Narvaja tutte le domeniche, le gallerie con i negozi e i parrucchieri per la sua signora, tutto a portata di mano.

Non ci furono molte fermate oltre la loro, la polvere bianca di un palazzo distrutto dall'altro lato della strada entrò nelle narici appena si aprì la porta cigolante. Dalla scuola all'angolo uscivano maestre eccitate come studenti e studenti annoiati come maestre. L'autista, come da abitudine, li salutò mentre contava i biglietti da venti e li sistemava nella cassetta di latta. Era l'ultima fermata, tutti erano arrivati. Piano, il floricoltore scese i tre scalini, tutti e tre con lo stesso piede perché l'altro, almeno così disse, non gli serviva più a nulla. Il ragazzo lo seguì per qualche metro per salutarlo e chiedergli ancora qualcosa. Non si era reso conto che chi aveva posto più domande fosse proprio lui, ma non se ne vergognò. Quelli erano anni in cui la vergogna non aveva colori accesi, era uno stato d'animo come tanti altri.

I passanti li osservavano, non come in centro, dove persino nelle strade sporche c'erano i turisti. E gli sguardi dei turisti non hanno molti significati. Adesso, invece, non c'erano dubbi su cosa provasse la gente guardandoli. *Buen día vecino!*, urlò il signor Barel dal marciapiede. Il signor Barel era il proprietario del Bar del Rancho, dove il vecchio ribelle pranzava di domenica quando era un giovane ribelle. *Buen día!,* rispose il floricoltore, gli diede un bacetto sulla guancia destra, come era d'uso. Poi si rese conto di una cosa: se sua moglie lo avesse chiamato quel giorno d'estate di tanti anni fa per dargli la bella notizia che aspettavano, adesso avrebbero avuto un figlio più o meno dell'età di quel ragazzo. Non glielo disse, tenne quel pensiero per sé. Queste pagine sono piene di frasi non dette: sembra che entrambi i protagonisti avessero qualche problema con la sincerità. Una delle ragazze che avevano fatto il tragitto con loro abbracciò il vecchio e gli sussurrò all'orecchio qualcosa che il ragazzo non riuscì a sentire. Il floricoltore arrossì ma non si scompose, ci era abituato. Si voltò per salutare il ragazzo e gli mise una mano sulla spalla, era una mano calda che non aveva peso.

Come ti chiami?, gli chiese infine. José Mujica, rispose il ragazzo, sollevando il mento due volte, una per il nome e una per il cognome. *Che!,* suona meglio Pepe, chiese allora il vecchio floricoltore. *Ta!,* rispose il ragazzo sorridendo. Credo di aver lasciato il mio quaderno nel bar. Vuoi che vada riprendertelo? No, non fa niente, mia moglie mi sta aspettando, disse, te lo regalo, buona fortuna vecchio mio!

Si mise le mani nelle tasche della giacca –

una delle due era una tasca finta perché si era strappata – e si avviò lungo la strada vuota. Sembrava che non si reggesse in piedi, era per colpa del fango nelle pozzanghere, un po' scivoloso, che si era accumulato lungo il marciapiede. Neve per poveri, pensò il floricoltore. Il ragazzo lo guardò procedere senza esitazioni fino alla fine della strada, tra i campi silenziosi del Cerro, la qual cosa gli prese diversi minuti perché quel cammino pareva non avere fine, continuava per un chilometro in salita e lì lo ingoiava l'infinito; poi, voltandosi verso la sua città, che era da qualche parte in quella desolata pianura senza vento, sorrise perché erano le sei passate e non c'erano più omnibus per ritornare in centro.

Caffè Bacacay, Montevideo, aprile 2014

Fonti

José Pepe Mujica, *Conference with Academics*, Montevideo, 29 aprile 2009;

Discourse to the United Nations, Rio de Janeiro, 20 giugno 2012;

Discourse to the United Nations, New York, 24 settembre 2013.

Printed in Poland
by Amazon Fulfillment
Poland Sp. z o.o., Wrocław